亲爱的鼠迷朋友，
欢迎来到老鼠世界！

杰罗尼摩·斯蒂顿

Geronimo Stilton

《鼠民公报》编辑部

版权合同登记号 14-2009-026

图书在版编目（CIP）数据

超鼠诞生记：新译本 / （意）斯蒂顿（Stilton,G.）著；王建全 译.
-- 南昌：二十一世纪出版社，2014.3（2015.11 重印）
（老鼠记者；46）
ISBN 978-7-5391-9184-3

Ⅰ.①超… Ⅱ.①斯… ②王… Ⅲ.①儿童文学—中篇小说—意大利—现代 Ⅳ.① I546.84

中国版本图书馆 CIP 数据核字（2013）第 246956 号

超鼠诞生记 [意]杰罗尼摩·斯蒂顿 著 王建全 译

出 版 人	张秋林	开	本	820mm × 1250mm 1/32
总 策 划		印	张	4
责任编辑	闵 蓉 黄 震	版	次	2014 年 3 月 第 1 版
出版发行	二十一世纪出版社	印	次	2015 年 11 月 第 6 次印刷
	（江西省南昌市子安路 75 号 330009）	印	数	81, 001-89, 000 册
	www.21cccc.com cc21@163.net	书	号	ISBN 978-7-5391-9184-3
承 印	江西华奥印务有限责任公司	定	价	14.00 元

赣版权登字 -04-2013-725
版权所有·侵权必究
（凡购本社图书，如有缺页、倒页、脱页，由本社发行公司负责退换，服务热线：0791-86512056）

超鼠诞生记

[意]杰罗尼摩·斯蒂顿 / 著

Geronimo Stilton

王建全 / 译

二十一世纪出版社
21st Century Publishing House

全国百佳出版社

目 录

艾拿

世界上最爱冒险的老鼠

托帕多·荣誉鼠

妙鼠城市长

马克斯·坦克鼠

杰罗尼摩的爷爷,《鼠民公报》创始人

天娜·辣尾鼠

马克斯的管家

老鼠陷阱

我叫斯蒂顿，*杰罗尼摩·斯蒂顿。*

你们现在读到的是我最富传奇色彩的**冒险经历**！

我很喜欢阅读，而这个故事也恰恰是由一本书引起的……

那是**春天**里一个星期六的下午，我吹着口哨从《**鼠民公报**》办公室里出来。《鼠民公报》是我经营的一份

报纸，这是老鼠岛上最畅销的报纸！我很愉快，因为我计划先去购物，然后去**妙鼠城图书馆**找我很久以来就想读的一本书。

我拿到**书**，很开心地朝出口走去。就在这个时候，看门鼠喊道：

"图书馆要关门啦啦啦啦啦啦！

各位老鼠，请你们离开开开开开开开！"

我赶紧进入电梯并且按下**按钮**，但是，当电梯到达第三层和第二层的中间时，我听到左边传来一阵"嘎吱嘎吱"声，电梯停下来了。继而灯灭掉了，我顿时完全陷入了一片黑暗之中。我开始大声地喊道："救命啊！**电梯**卡住了！"

　　我感到很害怕：我被关在电梯里，在星期六的下午……并且没有鼠知道我被困在这里！

　　我感觉到 冷汗 从我的胡须上滴下来，头晕目眩，心跳加快！

　　我开始用手爪敲打电梯的门，喊叫着："我被困住啦啦啦啦啦啦！"

　　就在这时，我好像看到有什么东西在 黑暗 中移动，不由得尖叫道：

"啊啊啊啊啊啊啊啊啊啊啊啊啊啊啊啊啊啊啊啊啊！"

　　然后，我看清楚了：那是电梯 镜子 里我的影子！

幽闭恐惧症

我试着去思考：现在是星期六的下午，图书馆在周一的早上开门。我只能**静静地**等待……

但是想到要被关在这电梯里一直到星期一，我心中涌起了一种像见到猫一样的**恐惧**，我开始哭泣：*"救命命命命命命命！救命命命命命命命！"*

为了给自己勇气，我坐到地上，在购物袋里翻找食物，我啃了一小口**奶酪**，然后抿了一小口**橙汁**。幸好我之前去买过东西：通常一块奶酪比一杯野

菊花茶更能使我平静下来。（我是这样一种鼠——非常迷恋和依赖奶酪！）

事实上，过了一会儿，我确实感觉好点儿了。我甚至想到翻阅一下我借来的那本书，用来打发时间也是挺不错的。这本书是很长一段时间以来我一直想读的！

我想：可惜这里太黑了！而且是一片漆黑！这里这么

黑，使我想起我恰好不能忍受这封闭的空间——我有幽闭恐惧症！

接着，我将外套当作**枕头**，躺下来，试着入睡。我希望当我睡着的时候时间能过得更快一些。但可惜我没能睡着，那确实是一个无比漫长的夜晚！

我长时间地 翻过来覆过去，直到最后进入充满噩梦的梦魇中。

我甚至梦到自己被关在一口埃及石棺里出不来！

多么可怕的梦啊！

星期天的早晨到了，我是通过看闪着磷光的**表针**才发觉到的：太阳的光照不到电梯里面来！

为了给自己勇气，我不断地告诉自己："星期一迟早会到的，那时候就会有鼠来**救**我了，这仅仅是时间问题！"幸亏在快到中午的时候，一件意外的事情发生了……

我听到一阵响声：

"**铃铃铃铃铃铃铃铃！**"

我吓了一跳：那是什么？

有东西在我的口袋里面振动着！

"**嗡嗡嗡嗡嗡嗡嗡嗡嗡嗡！**"

　　我用手爪一拍脑门：**看在一千块莫泽雷勒奶酪的分上，**是我的**手机！**

　　多愚蠢啊，为什么我之前就没想到呢？

　　我用两只手爪颤抖地抓住它，激动地、结结巴巴地说："喂！我——我是傻瓜……呃，我是杰——杰罗尼摩……我电梯封闭……不，我被关在电梯里了！快来救我出去去去去去去去！"

手机！为什么我之前就没想到呢？

喂，我是艾拿！

只听手机里一个奇怪的口音在吼道："喂，我是艾拿！"

我嘟哝道："艾——艾拿，我被关在一个电梯里面，漆黑一片，我很害怕……"

以他惯有的奇怪的做事方式，艾拿打断我："你在哪儿？"

"呃，在妙鼠城图书馆的电梯里面……"

接着，我就听到一阵奇怪的喊声：

"我来啦啦啦啦啦啦啦！嗷嗷嗷嗷嗷嗷！"

于是，我松了一口气。

我不知道
他会怎样做。
但有一件事是肯定的：
他会把我从那里

救

出来！

很快的。
这一点我非常
清楚……

艾拿的多种面貌

他进行跳伞运动并"投身"到每一次的冒险中！

他会驾驶帆船航行！

他一直致力于保护大自然！

对他而言，任何山峰都不会太高！

他在任何情况下都能辨别方向，从来不会迷路！

他喜欢围坐在篝火旁唱歌，跟朋友们开玩笑！

他有一个秘密——喜欢读诗集。

过了不久，**有老鼠**跑上楼梯，**有老鼠**用力地敲打电梯门，**有老鼠**呼喊道："**一切都在控制之中**，喏喱！"

我小声地问道："艾拿，是你吗？"

没有任何鼠回答。电梯的门"嘎吱嘎吱"地作响，一道光线穿透黑暗。我半闭起眼睛。

阳光！空气！自由！

接着，一只如钢铁一般有力的手爪把我拉了出来，**有老鼠**在我耳边喊道："一切都还好吧，杰罗尼摩？"

我用微弱的声音回答道："吱吱吱吱吱吱吱吱吱吱……"

然后，我 兴奋得晕倒了。

我原以为会把皮留在那儿！

那天剩下的时间我都待在家里，我要好好休息休息，恢复精神。

第二天，在办公室，我对所有的鼠讲述

了我**糟糕**的经历："我是多么**害怕**啊！一只鼠，在电梯里，黑漆漆的……我原以为会把**皮**留在那儿！"

菲叹气道："还没到要被剥皮那么危险。你只是在关着的电梯里度过了一个**晚上**，这就是全部！"

赖皮**窃笑**道："你还是那么夸张，我的表哥。如果是我的话，那会是一个打鼾的好机会。这只是看事情的角度问题，知道吗？"

只有艾拿在一旁保持**沉默**，仿佛在思考什么。突然，他把🐾🐾放在我的肩膀上，看着我的眼睛，严肃地低声说："告诉我，啫喱，为什么你没有立刻给我打电话？"

我坦白道："事实上……嗯……我没想到，我不知道这是怎么发生的……"

他点点头，仿佛这正是他想得到的答案。接着，他在我的耳边尖叫："我告诉你这是为什么，啫喱！因为你太**紧张**了！因为你已

经**失去冷静**！因为你已经让自己**惊慌失措**了！"

然后，他对我**耳语**："一定要记住这些黄金准则——

> 准则一，要始终保持冷静！
> 准则二，随时保持警惕！
> 准则三，要适应环境！
> 准则四，学会辨认方向！

明白了吗，**啫喱**？

他在一本橙色的小册子上潦潦草草地写了一些注意事项，然后若有所思地将本子合起来……

接着，他跟我的妹妹**击掌**，（为什么？）向我的表弟挤**眼**，（为什么为什么？）对本杰明**示意**让他不要担心。（为什么为什么为什么？）

26

他低声说："我知道你需要的是什么。"

最后他大声叫道："你会看到我为你准备了什么！**走着看吧，走着看吧！**"

他抓住我的尾巴，沿着楼梯，把我拉到《鼠民公报》办公室的楼顶，那里有一架橙色的在等我们。我不想上去，但是他用力地把我弄了上去！

一个有很多很多沙子的地方

艾拿递给我一副太阳眼镜，跟他的**一模一样**。

"戴上它！在座位下面你会找到适合这次旅行的衣服，还有一个背包，里面装着**去**这个地方所有的必需品。"

我担心地喊道：

"是吗？但是我们要到哪里去呢？"

他窃笑道："来吧来吧，我们来做个小游

戏，看你能不能猜得到。想象一下，一个有很多很多很多**沙子**的地方……"

我抱着一点希望，试着问："一片海滩？"

他笑了："真不错，啫喱，一片海滩！"

我又试着**猜测**道："翡翠海岸？南海的一个岛屿？马尔代夫？"

他冷笑道："更加更加更加地**大**，大约有900万平方公里！那里非常非常非常的**热**，在阴影的地方有60摄氏度！而且非常非常非常的**干燥**，从来都不下雨！"

我有点怀疑了。

"但是这样的**海滩**是不存在的……"

他笑破了肚皮。

"并且你会看到阳光是多么灿烂，你可以在那儿晒日光浴，晒到**尖叫！**"

我还是猜不到，艾拿笑得都快窒息了。他深吸了一口气，说道："那里有很多很多很多的**单峰驼**！"

我睁大眼睛，问："对不起，这跟单峰驼有什么关系呢？"

他开始**捧腹大笑**，直升机随着他的笑声上下摆动着。

上下……上下……上下……上下……上下摆动着

"跟单峰驼绝对绝对绝对有关系！"他试着解释，但是没有成功，因为他已经笑得直捧着肚子，只能断断续续地说道，"那儿……看那儿……那些就是单峰驼……"

在我们下方，是一片非常辽阔的沙漠……

非常非常非常**广阔**……

非常非常非常**热**……

非常非常非常**干燥**……

还有很多很多很多的单峰驼……

他讥笑道："看到了吗？多了不起的海滩啊！"

那根本不是什么海滩，而是撒哈拉大沙漠！

"我担保过，会有让你尖叫的日光浴！"艾拿继续说道，"如果你不把防晒霜一直涂到胡子尖儿的话，你会因为晒伤而尖叫的！记住，这里需要一**千倍的防晒措施！**"

"但是，一千倍的防晒措施根本不存在啊！"

"说得完全正正正确！要尽可能地让自己待在阴影里，否则你会变成**烤老鼠**！现在，准备一下吧。我要为你准备一些**测试！**"

沙 漠

什么是沙漠?

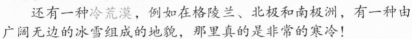

沙漠是一个几乎无人居住的区域,这里长年不下雨,这里的土地十分干旱,不能进行耕种。

有一种热荒漠,主要是由强风造成的岩石或者沙砾组成的,地表是典型的沙丘形态。

还有一种冷荒漠,例如在格陵兰、北极和南极洲,有一种由广阔无边的冰雪组成的地貌,那里真的是非常的寒冷!

撒哈拉

撒哈拉是世界上最广阔的沙漠,它位于非洲北部,总面积约为 900 万平方公里。

这是一片非常广阔的布满沙子的区域,有时会在沙子上发现古老河流的痕迹(干谷),每当下雨的时候(基本上很少会发生),里面会注满了水。有些地区,水从地下渗到地面上,形成了植被丰富的地区——绿洲,沙漠上的部族,例如图瓦雷克族,就是生活在绿洲地区的。

图瓦雷克族是一个游牧民族,从事农业和畜牧业生产。这个民族很容易辩认,为了保护自己不被太阳晒伤,他们总是戴着一顶特殊的蓝色帽子,穿着阿拉伯长袍,那是一种用彩色布料做成的袖子很宽的长袍。

测试！

艾拿宣布道："不错不错不错，现在我要为你进行一些测试，很快你就会成为一只**真正的老鼠**！"

我的胡子因为担心而抖动着。

"我不需要成为一只**真正的老鼠**，我喜欢我现在这个样子！"

他摇摇头，决定道："这就是你错误的地方。像你这个样子？你就是个胆小鬼！如果说谁迫切地需要成为一只**真正的老鼠**，那就是你，啫喱！一切交给我吧！**看你以后会多么地感激我**……"

"现在，去进行你的第一号测试吧！"

艾拿揪住我的衬衫领子，说道："噢噢噢，这里有什么？看那看那看那……一只**蝎子！**"

我发出尖厉的叫声："一只蝎蝎蝎蝎蝎蝎蝎蝎……蝎子？救救救救救救……救命啊！"

但是艾拿轻松地拿着蝎子在我眼前晃来晃去，嘲笑道："是橡胶做的！"然后很严肃地补充道："**准则一，要始终保持冷静！**如果这是一只真的蝎子，你早就变成猫的美餐了！"

当我刚从**恐惧**中恢复过来，就开始追赶他："让我抓到你的话，我会让你看看我是多么的冷静！"

成为真正老鼠的第二号测试

为了逃避我的追赶，艾拿爬上了最高的一座沙丘，沙子像滑石粉一样细。

没几步他就爬到了沙顶，并且在那儿催促我："加油，啫喱，我希望你强点强点再强点！举起那只手爪，跳啊！跳啊！跳啊！"

然而，我陷在沙子里面只能吃力地前进着。当我好不容易到达丘顶的时候，艾拿把我绊倒了，他说道："我这样做都是为你好，看你以后会多么地感激我……"

啊啊啊啊啊啊啊！

最后，当我滚下沙丘的时候，他叫道："不行不行不行！你没有通过测试，你忘记了准则二，随时保持警惕！"

当我摸索着从沙子里面爬出来的时候，艾拿已经从沙丘上 **下来** 了，他抱怨道："你不能失去冷静！"然后他递给我一块奶酪，"现在，吃了它！我这样做都是为你好，**看你以后会多么地感激我……**"

我正要真心实意地向他表示感激时，我突然发现……奶酪里都是 **蠕虫！**

我扔掉奶酪，呕吐起来。

艾拿摇摇头："不行不行不行！你没有通过测试，你忘记了**准则三，要适应环境！**如果有带蠕虫的奶酪可以吃，那就吃掉带着蠕虫的奶酪。"

成为真正老鼠的第四号测试

第二天早上，我在黎明时分醒来。

我伸展四肢……**挠了挠**胡须……然后我心中一惊：帐篷里只有我一个！

我只找到艾拿留下的纸条，上面写道：

> 第四号测试：到绿洲跟我会合！
>
> （向东步行两个小时，然后一直往西……
>
> 看你以后会多么地感激我！）

感激他？我想都不会想！我怎么才能摆脱困境呢？**绿洲**在哪里呢？我没有别的选择，只能背上背包出发了。

我像陀螺一样团团转地度过了一天。我尝试着去辨别方向，但是我找不到参照物！

在沙漠里没有树，没有道路，也没有房子，

只有

沙子…… 沙子…… 沙子…… 沙子……
沙子…… 沙子…… 沙子…… 沙子……

当太阳下山的时候，我注意到地上有一样很熟悉的东西。我把它拿在手里，发现……那是我的**手帕**！

也就是说我曾经路过这儿！

我永远也不会到达绿洲了！

我开始哭泣："我迷路了！我害怕……非常**害怕**！"

幸运的是，艾拿从一个沙丘后面跳了出来，他说道："不行不行不行！你没有通过测试。记住准则四，学会辨认方向！"

艾拿把我带到绿洲，来到一棵树下。

"你想问我为什么把你带到这里，是吗？"

"嗯，好吧，那你为什么要把我带到这里来呢？"

他笑道："现在，我给你一条像金子一样宝贵的建议，杰罗尼摩，站住**别动**，并且保持**安静！**"

我正要问为什么要我站住不动并且保持安静时，我听到一阵**嗡嗡声**。

一秒钟之后，我被蜜蜂群罩住了……沙漠里的蜜蜂？真**奇怪**啊！并且到处都是蜜蜂！这些蜜蜂飞过我的耳朵、我的胡须，还有我的鼻子尖！

蜜蜂在我的眼镜上，蜜蜂在我的肩膀上，蜜蜂在我的领子里面，蜜蜂在我的脊柱上。

真是一场噩梦啊！

艾拿启动了一个精密计时器："你真是幸运啊！你有唯一一个可以测量你冷静的机会。我会测量在你尖叫之前你可以坚持几秒钟。准备好了吗？喏喱！看，我开始计时了！1，2，3，4……祝贺你，你真是让我刮目相看啊！9，

10……真奇怪，你怎么还没有叫出来呢？ 15，16……啊哈，我跟你说过吗，一旦**你**叫出来，**他们**会立刻去蜇你？ 20，21，22……"

然后，艾拿失望地低声嘟哝道："嗯，你不尖叫吗？"

我不叫，因为我不想自己被蜜蜂**蜇**，但是他喊道："那么我就让测试再猛烈一点！"

接着，他笑嘻嘻地摇晃灌木直到蜂窝掉到我头上来！

那些蜜蜂开始生气地追赶我，

我以闪电般的速度向绿洲的湖边跑去并一头扎进湖里。这时艾拿叫道："**真了不起啊**！ 创纪录了，100 米只要 9 秒！"

> ### 沙漠里的蜜蜂
>
> 可能听起来很奇怪，但在撒哈拉沙漠的一些并不缺水的绿洲地区，那里盛开着刺马甲子。这是一种多刺且生命力很顽强的植物，在那里蜜蜂可以生存并且能产出口味醇厚的蜂蜜。

太热啦！

我拖着疲惫的身躯回到帐篷，一头倒在吊床上，睡意很快地向我袭来。

不幸的是，那个夜晚（像沙漠里所有的夜晚一样**冷极了**！）持续的时间非常短暂。

我似乎刚**睡了**五分钟，一声喊叫就把我惊了起来："啫喱！起来，快起来！"

"这……这是哪儿？"我结结巴巴地问道。

不幸的是，我很快明白了我在哪里：在沙漠里，跟艾拿一起……我走出帐篷，正在这个时候，太阳在万里无云的天空中升了起来。"多么美的景色啊！"

不幸的是，那一刻的平静太过短暂。艾

在沙漠中生存的装备

治疗被蛇和蝎子咬伤的包扎用品

汗水流失过多时使用的矿物盐

药水胶布

太阳眼镜

巧克力
（用来补充能量）

登山靴

防晒霜

手电筒

遮阳帽

保温水壶

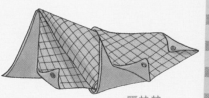

隔热垫

拿立刻在我耳边叫道："啫喱，景色看完了！现在是时候用一点体操来给你的小肌肉做一下热身了！"

我们开始热身。我们已经够热的了！

艾拿教我做的动作越来越难，沙漠里的温度也越来越高。

过了一小时，已经相当**热**了！

过了两个小时，无疑地已经非常**热**了！

过了三个小时，已经特别特别地**热**了！

过了……我已经记不得多少个小时了！

我的小脑袋已经熔化了！

然而艾拿一整天都在继续着对我的**训练**，即使当沙漠的烈日垂直地照射在我们头上的时候。他让我做体操，做仰卧起坐练习、越野跑、障碍跑、举重，还有……不许吃饭！总之，他让我的胃空着！

同时，他还敦促我："加油，啫喱！你是一只**真正的老鼠**还是一块**软奶酪**？"

我竭尽全力让自己不像一块软奶酪，烈

日却毫不怜惜地炙烤着我！

我被晒得如此厉害，以至于那天结束的时候，艾拿看着我晒伤的脸立刻捧腹大笑："真不错，啫喱！你有进步，你不再像块软奶酪了，而是像……

一块烘烤过的软奶酪！"

在我拖着疲惫的身子往帐篷走去的时候，为了安慰我，艾拿向我承诺，第二天会给我一个惊喜。带着这个*希望*我渐渐进入了梦乡。

太冷啦！

在第二天的黎明时分，艾拿用他惯有的喊声把我叫醒了："喏喏喏喏喏喏喱！起来！快起来！我有一个惊喜要给你，出发啦！"

终于，我们要离开这片炎热的沙漠了。我兴高采烈地把睡袋叠好，扣好背包并背到肩膀上。我希望我的厄运已经结束了，但是我错了……

唉，我错得真是离谱啊！

我的思绪被引擎的轰鸣声打断了：艾拿已经在橙色直升机上等我了。

我登上飞机的时候，艾拿窃笑道："我们来玩一个小游戏吧，看你能不能猜到我要带你到哪里去。我敢打赌说你一定很热吧，嗯？"

"你说得真是太对了！我已经不能忍受这**噩梦**般的炎热了！"

接着，艾拿提议道："那么，你比较喜欢**凉爽**一点的地方啰？"

"嗯，是的，我喜欢！"

他继续问："你喜欢非常非常凉爽的地方，凉爽到不能再凉爽的地方，对吗？"

我很不谨慎地回答道："嗯，对的，越凉爽越好！"

艾拿满意地搓搓手爪："我来帮你猜吧。那是一个非常非常非常**遥远**的地方……只有很少很少很少的**居民**……经常刮很大很大很大的**风**"

"嗯，我实在是猜不出来。好吧，艾拿，告

诉我，你要把我带到哪里去？我们要去哪里？"

艾拿满意地吼道："雪山……冰河……零下40摄氏度……那里是北北北极极极！"

我尖叫道："北极？那么我宁愿待在这里！"

艾拿启动引擎，"不，我亲爱的啫喱，一只真正的老鼠不会像风一样，每五分钟就改变一次主意。既然你已经说过你喜欢凉爽的地方，那我们就去凉爽的地方！"

那是一次令鼠筋疲力尽的旅行：直升机之后换乘飞机，然后乘坐破冰船，接下来又乘坐直升机……

在这所有的时间里，艾拿一直向我传授如何在零下40摄氏度的环境下生存。

有一次，他嘱咐我说："记住，啫喱，尽量不要出汗，否则汗水会在你的身上结冰的！"

抓绒面料的管式围巾

防水防寒的滑雪手套

防寒保暖的登山帽

氯丁橡胶霜

防水透气面料的外套

三层厚的羊毛衫

耳罩

防风、防雾的太阳眼镜

防水透气面料的裤子

防水的管式尾巴罩

登山鞋

球拍形雪鞋

厚的羊毛袜

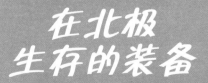

在北极
生存的装备

我抗议道："我要回家，坐在我的扶手椅上，我肯定不会出汗……"

　　"不，那样子就太简单了！你需要自制力！不过放心吧，让我来教你如何生存，啫喱！"

　　然后他让我穿上极地装备：全部都是三层的，从帽子到袜子！当我从直升机上下来时，我看上去就像一个热气球，我被包裹得如此厚实，以至于我几乎无法移动了。

　　我看看四周，我处在一个寒风席卷、无边无际的冰天雪地之中。我们正在一个大浮冰群*上。这里很冷，非常冷，一种独属于极地的冷！

　　艾拿喊道："啫喱，你涂过氯丁橡胶霜*了吗？"

---

*大浮冰群：是指在极地地区覆盖在海洋上的一块冰层。

*氯丁橡胶霜：一种药膏，可以隔绝寒冷并且防止由于寒冷而造成的皮肤皲裂。

"霜，什么霜？"

"用来防风的，我可不想你的胡子被冻住！"

"但是我真的……"

"太糟了，啫喱，你的胡子可能会碎成粉末的……"

我非常担心。由于紧张，我开始觉得我的额头还有背上有汗水流出来。艾拿审视着我："啫喱，你不是在出汗吧？"

"怎……怎么了？"

"因为你可能会像大西洋鳕鱼那样被冻起来！顺便问一下，你有没有戴上那个用极性微纤维制成的防水管式尾巴罩？"

"什么？"我问道。

"也就是说你没有戴啦！糟糕，太糟了，啫喱，你的尾巴可能会被冻起来哟！你不希

望它**掉下来**，对吧？"

我的胡子开始由于**紧张**而抖动着……

"我很爱惜尾巴的！"我恼怒地喊道，"**这里太冷了！我要回家！**"

艾拿拍了一下我的肩膀："加油，啫喱！**乐趣**就要开始了！"

"乐趣？什么乐趣？"

"我们将会到达……**北极**！想想看多有乐趣啊！拉着载有装备和干粮的雪橇在冰上行进 100 公里、搭帐篷、拆帐篷、煮饭，在这个冰天雪地里就我们两个……我们会一直向北行进，直到 **GSM** * 微型探测器告诉我们已经到达北极位置。你高兴吗？"

为了节省力气，我甚至没有回答他就立刻开始静静地**前行**了，我尽量不让自己出汗。

*GSM：一个全球移动通信系统，可提供语音服务，并可提供相关资料查询。

我想：越早到达北极，我们就能越早离开这个**噩**梦般的地方！

那是一次非常艰难的行程：持续了一天又一天，就好像永远也不会结束一样……

直到第七天太阳下山的时候，GSM 响了：**我们到了**！

"太好了，啫喱，你没让我**失望**，我很**满意**！"

不久之后，引擎声在我们头上轰鸣：直升机来接我们了。

大大的丛林！

在旅途中，我全部时间都在睡觉。

我仅仅注意到交通工具的改变：直升机、轮船、飞机、火车，又是轮船，又是飞机。

多么神奇的旅程啊！

在我昏昏欲睡的时候，我听到艾拿用很遥远的声音跟我讲著名的老虎、丛林、沼泽、有毒的蛇……我根本没听懂他所说的。我累坏了，根本无法保持清醒……

只有当艾拿在我耳边喊叫时，我才彻底地清醒过来。

"所有所有所有的事情你都听懂了吗？记

丛林
生存装备

小瓶抗蛇毒血清

水壶

驱虫喷雾剂

手电筒

砍刀

雨衣

绳子

热带雨林

热带雨林是热带地区的典型植被，是由高大的树木、茂密的灌木以及藤本植物紧密缠绕而形成的。

典型的季候风气候给热带雨林地区带来的丰沛雨水，使得这一植被得以生长。

在这区域，动物的食物总是很充足的。

在丛林中最好穿着轻便的服装，并随身携带生存工具包，带少量基本的物品。

住，如果你想活着的话，就把我跟你讲过的话应用到实践中去！现在出发吧！那会很有乐趣的！"

然后，他推了我一把，我跳到了空中！我似乎下落了很长的一段时间，直

救命命命命命命！

嘟 嘟！

呀呀呀呀呀呀呀呀！

到我摸索到一根小绳子，然后……拉了下去！

　　降落伞有力地打开了，减缓了我下落的速度。

　　在风中摇摆的时候，我看着下面的树木越来越近了，近了，近了，近了，近了……

咔嚓！

那是一片茂密的树林……然而，不……

那是片

热带雨林！

为什么我没有仔细地听艾拿的讲解？我如何在这片原始得不能再原始的雨林中**生存**啊？

我终于有时间思考了：**啊噢，我好像遇到麻烦了！** 我的降落伞被缠在一棵大树的**枝杈**间。

我快速看了一下周围的情况：我处在一个神秘

莫测的原始雨林之中，降落伞被卡在一棵很高的树上。

　　然后我叫道："救命啊！我不想像块奶酪般的待在这儿持续发酵！"

我遇到麻烦了，遇到大麻烦了！

　　接着，丛林里响起了恐怖的声音……我害怕得胡子抖动着！

　　起初，我似乎听到了颌骨张开和关闭的声音……

咔嚓……

咔嚓……

　　或许那就是，传说中饥饿的**鳄鱼**那致命的牙齿发出的声音？

　　然后我听到了**老虎**巨大的咆哮声……

吼吼吼吼吼吼吼！

可能是一只饥饿至极的马来西亚虎，专吃老鼠？

最后我被一群  包围了……

嗡嗡嗡！ 嗡嗡嗡！

嗡嗡嗡！ **嗡嗡嗡！嗡嗡嗡！**

嗡嗡嗡！

或许是热带地区的有毒的奇怪昆虫？

我用尽所有的力气扯开喉咙大声喊道：

"救命啊！谁来救救我？"

忽然，我听到附近的树丛里传来了声音，我想：一定是艾拿来救我了！

但是，从叶子里伸出来……一张毛茸茸的脸！两只圆圆的眼睛……一个凸出的鼻子……可怜的我啊，那不是艾拿，那是一只猩猩！

我遇到麻烦了，遇到大麻烦了！

这时，猩猩开始把我抱在怀里"轻轻"地摇晃，我被摇晃得如此厉害，以至于开始晕眩了！

这时我明白过来：这是一只**母猩猩**，她把我当成她的小宝宝了！

我抗议道："对不起，嗯……女士……可能有点误会。我很抱歉令您失望了……但我不是您的儿子！"

她困惑地看了我一眼，然后开始用指甲在我头上的皮毛之间来回**翻**动。

她像猩猩之间常做的那样，梳理着我的毛发，可怜的我啊！

我频烦地抗议道："您怎么可以这样？我没有虱子，我不是一只猩猩，尤其不是您的儿子！"

但她像什么也没有听到一样，继续梳理着我的毛发，在我的**皮毛**间这里翻翻，那里翻翻。

然后，我愤怒地爆发了："够啦！可怜可怜我吧，别烦我啦，我想回家！"这时，她严肃地看着我，然后用她两只巨大的爪子揍我的**屁股**。她以为我在发小孩子脾气！我失望极了，放声大**哭**起来："救命！放我下来！我要下来！"

为了抚慰我，她给我吃了一整串的烂香蕉。

可怜的我啊！

幸运的是，在我无法忍受的时候，艾拿从树丛中跳了出来："喏喱，永远不要信任一只猩猩！你不知道她可能会**碾碎**你的小脑袋吗？"

我结结巴巴地说："碾……碾碎？"

然后我**晕**了过去。

太黑了！

　　当我醒来的时候，我已经再次坐在直升机上了。艾拿把我摇醒："醒一醒，喏喱！你并不是真的有**危险**，我当时就在你身边，随时准备救你。"

　　他拍拍我的肩膀，接着说："你真是一块软奶酪啊，**喏喱！**但是不用担心，再过几天我会把你变成一只**真正的老鼠**的！把自己交给我吧，喏喱！"

　　"好……好吧，我们再说吧……但是你现在是要带我去哪儿呢？"

　　"那是一个把你最害怕的东西变成现实的地方，一个**岩洞！**"

岩洞生存装备

PVC* 塑胶工作服

防止撞击和阻挡头顶掉下碎片的头盔

手电筒

洞穴专用手套

橡胶靴

岩洞

岩洞是天然的地下洞穴（也有人工的），是由于岩石被腐蚀和侵蚀而形成的。

虽然它们经常被原始鼠作为避难的场所，但是岩洞确实是一个很少有鼠到访的地方。

通常来说，岩洞里面很冷，很潮湿，还异常黑暗！

洞穴学是一门研究岩洞的科学，研究它们的起源和特征。想探索一个岩洞，要有全套装备……就像杰罗尼摩那样！

*PVC：聚氯乙烯，一种广泛使用的塑胶材料。

　　我们进入了一个黑暗的岩洞，沿着泥泞狭窄的通道慢慢前进着……

　　我什么也看不见！

很黑，太黑了！

　　我的手电筒只能在我前面投下一小束光。为了安抚自己，我心里想：还好不是我一个，艾拿跟我在一起，他总是知道如何摆脱困境。

当我们在 泥泞 中前行的时候，艾拿嘱咐我："注意，啫喱，在岩洞里很容易迷路。记住始终待在我 身边，如果你进入了错误的地洞，你肯定会迷路。我们只会找到你的 骨头（可能），在几个世纪之后……"

"我……我从没想过离开你！"

"还要特别注意你的**手电筒**。千万不能丢掉，而且绝对不能让它熄灭，否则你会变成一只死老鼠！我们只会找到你的**骨头**（可能）……"

"我没有，绝对没有想过要松开手电筒！"

"非常好，啫喱！顺便问一下，你带了那个装有备用电池的小袋子吗？"

"什么**电池**？什么**小袋子**？什么**备用**？"

由于激动，我猛然站起来，脑袋撞在一块钟乳石上面，头盔上的头灯一下子灭掉了。接着，装有备用电池的小袋子从我的口袋里掉了出来，沿着旁边的一个地洞滚了下去。

过了一会儿，我发觉有什么地方不对劲：太**安静**了！

只剩下我一个了！
单独的一个！
我很害怕！
非常非常非常地
害怕！

地道里没有任何鼠。

我害怕地尖叫起来："艾拿，你在哪儿？"

寂静一片。没有任何回应。

我在岩洞里迷路了！

然后，我做了我所能做的最愚蠢的事情：我开始在地洞里游荡……

我游荡着，游荡着，游荡着，游荡着……

我一边寻找出路一边想：至少手电筒还……

还不等我想完，光就消失了。我惊恐地想起来：我没有备用电池了！

我立刻处在一片黑暗之中。

一片无法再黑的黑暗之中！

我蜷缩在一个小角落里开始哭泣。为了给自己勇气，我唱起了我最喜欢的一首歌。

我是一只安静的老鼠!

你知道的，我要保持安静，
远离冒险和晕船。
高兴地待在家里，
没有被粘在冰箱上的冒险，也没有害怕！

我不是一只超级鼠，我有一点胆小，
我甚至害怕一只大黄蜂。
但如果你跟我在一起，
这个恐惧会很快消失！

如果你跟我说起猫，我会开始尖叫。
你会看到我害怕地逃跑。
但如果我们在一起，
我们会找到勇敢面对这"充满危险"
的生活的勇气！

太黑 了！

过了一段在我看来无比漫长的时间之后，（即使事实上只过了三个小时！）艾拿终于来接我了：他听到了我的声音！

他对我说："不错，啫喱，你**唱**得很好！否则我永远也不会找到你，你的**骨头**，**骨头**，**骨头**……"

他带我到出口，然后一直陪我到帐篷里。

我并不**累**，我只是已经**精疲力竭**了。

我把手爪伸进睡袋，并把睡袋拉到耳朵边，我陷入了深深深深深深深深的梦乡之中……

大大的压力！

然而几分钟之后，艾拿进入帐篷并把我叫醒。然后，他用尽一切可能的办法使我失去**耐心**。

还有另外一个测试？

他让我经受了巨大的压力！

为了使我失去平静，他把所有能想到的事情都讲给我听：他折磨我，说我是一块软弱的、愚蠢的、磨成糊的、腼腆的莫泽雷勒奶酪……

他这样讲了一个 **小时** 又一个 **小时** 又一个 **小时**，直到我实在忍受不下去了。

压力的十种程度

　　我尽量试着保持冷静，但接下来我还是爆发了。

我没有承受住压力。
我崩溃了！

　　艾拿摇摇头。

　　"你学到了很多，但是你的神经仍然有点小脆弱！放心，现在我们来永久性地解决这个问题。现在我来告诉你为什么会这样，以及如何在任何情况下都保持冷静。这是我的私人方法，一直很有效。

　　记住艾拿的话，嗷嗷嗷嗷嗷嗷！"

如何在任何情况下
都保持冷静

他们使你生气吗?
你失去耐性了吗?
你崩溃了吗?

这就是艾拿提供的方法!
总是保持冷静并站稳!

用奶酪担保
有效!

1. 深呼吸。
2. 做任何事情之前先从一数到十。
3. 尝试着去弄清楚是什么事情使你崩溃。
4. 问问自己所感到的愤怒或者恐怖,相对于自己所处的情况
   是过多还是过少。
5. 记住:在这个世界上没有什么事情是真正值得生气的!
6. 现在你已经找到问题的所在了,寻找一个可行的解决办法!

生存课程……

第二天的黎明，一阵叫喊声把我唤醒：

"咕喱喱喱喱喱喱喱喱喱喱喱喱！"

我跳起来，然后跑出去，做好听到任何消息的准备。

这次等待我的会是什么呢？

什么样的**危险**？

什么样的*紧急状况*？

什么样的**冒险**？

艾拿手臂交叉着，在帐篷外等着我。

他盯着我看了很久。

然后，他对我说："现在听好了……

……生存

课程

结束了！"

我呆若木鸡，"什么什么什么？结束了？"

　　"是的！"艾拿回答道。

　　"再也没有什么寒冷了？"

　　"没有。"

　　"再也没有什么发热了？"

　　"没有。"

　　"再也没有什么艰难了？"

　　"没有。"

　　"再也没有什么饥饿、干渴、黑暗了？"

　　"没有没有没有！"

　　他把一块用红色丝带绑着的金质奖章挂到了我的脖子上。然后，他第一次对我笑了，并说出了一个珍贵的词语："干得好！"

　　我也仅仅用一个充满感激的、真诚的、饱含深情的词语回答道："谢谢！"

学位证书

艾拿拉了一下我的耳朵，然后给了我一张纸："好好利用它，喏喱！会对你有用的！"接着，他向不远处的一家旅馆走去，在回妙鼠城之前我们会在那里停留一段时间。

我连去阅读那张纸的力气都没有了。

我**累极了**，我也到了旅馆，然后向房间走去。

我爬进**浴缸**，将自己沉入热水中，放松一下酸痛的肌肉。

同时，我也开始看艾拿交给我的那张纸：那是一张——

学位证书！

生存课程
学位证书

鉴于付出诸多努力来面对：

- 撒哈拉沙漠的酷热！
- 北极的严寒！
- 热带雨林的恐怖！
- 岩洞的黑暗！

此证书证明杰罗尼摩·斯蒂顿先生，绰号啫喱，已通过本生存课程考试。

艾拿

不要忘记：

1. 沙漠教会你：无论你每天遇到什么样的或是多少问题都不重要，重要的是你要以正确的心态去面对它们！

2. 正如你在北极做的那样，永远不要妥协，要保持乐观并且相信自己。

3. 生活是我们成长的机会，也让我们去认识新的朋友，就像你在丛林中遇到的事情一样，呵呵呵！

4. 最后要记住：生活总是而且仅仅是拥有你所赋予它的味道！在岩洞里唱歌仅仅是个开始！

   总之，真正的生存课程……总是在随时随地！

我的胡子 *激动* 地颤抖起来：我做到了！我通过课程了，还好总算都结束了！

当我还在想艾拿的时候，感到有点*饿*了……于是，洗完澡，我向客房服务要了一份*餐点*：加了四倍*奶酪*的意大利面。

然后我小碎步地爬到床上，闭上眼睛，我低声说："我打一个*小盹儿*……就这样，我要休息一下……"

呼噜，呼噜，呼噜，呼噜……

呼噜…… 呼噜…… 呼噜…… 呼噜……
呼噜…… **呼噜**…… 呼噜…… 呼噜……

我在 24 小时之后醒来。

看在一千块莫泽雷勒奶酪的分上， 睡得
真爽啊！

美妙的经历

当天我们就出发了，第二天早晨我们回到了**妙鼠城**。

我决定立刻前往《**鼠民公报**》大楼办公室。我向所有的老鼠**打过招呼**之后，走进了我的办公室……坐到办公桌前……打

开我的备忘录……最后启动我的电脑……

我又回到了正常的生活中！

我叹了口气。

我经历了多少**冒险**啊！

我经历过**艰辛**，经历过**恐惧**，很多次我都想我永远也不可能做到了……

然而，现在回想起来……

总而言之……

这就是……

或许……

几乎……

我不得不承认

这是

一次美妙的经历！

这时候，就在这个时候，我办公室的门打开了！

是我的妹妹菲！

我以为她是来问候我的，然而她担忧地说道："杰罗尼摩，你收到消息了吗？"

我很吃惊，"没有。什么消息？"

菲打开电视机，里面正在播报一则特别新闻。

播报鼠解说道："最新消息！不久之前，老鼠岛北部靠近海豚湾的地区遭到气旋袭击，然而现在我们还无法得知损失情况。我们会尽快为您提供后续报道。"

我跳了起来，"情况很严重！必须有老鼠

做点什么，并且要快！"

就在这时，电话铃声响了，

是**托帕多·荣誉鼠**，妙

鼠城的市长。

"杰罗尼摩，我的朋友，

我需要您的帮助。必须**做**

点什么，并且要快！

遗憾的是我们没有救援的工

具！没有直升机，没有卡

车，也没有救护车……我

们市政金库里没有足够

的资金！我们老鼠岛

从来都没遇到过这种

紧急状况！"

"市长先生，的确很可怕！但是……我确实不知道我能做点什么来帮助您！我经营的是一份报纸，不知道如何应对**紧急状况**啊！"

他回答："我明白,这不重要,我希望您……好吧，如果您想到什么请一定让我知道。"

我的精神受到了打击。很遗憾我让他**失望**了。刚放下话筒，我就沉重地趴倒在书桌上：我怎样才能帮助他呢？需要做的事情都压在一只老鼠的肩上，那太多、太沉重了！

菲也感到很**难过**。

然而我重新抬起头……

什么是热带气旋？

气旋跟云、风、暴风雨一样，是一种复杂的大气现象，它以极快的速度旋转前进，在前进的过程中产生巨大的吸力，吸附并摧毁它所遇到的一切。虽然它们具有破坏性，但从另一方面来讲，它们在自然界中还发挥着另外一个重要作用——它们将热能从热带地区运送到纬度更高的地区。

气旋通常在热带地区形成，根据它的强度和形成的地理区域不同，叫法也有所不同。

飓风：是指大西洋中北部，尤其是墨西哥湾和加勒比海地区的气旋，每小时的风速可达到118千米。

台风：是指太平洋西部、南中国海范围和亚洲东南部地区的热带气旋。

在其他地区，它们则被简单地称为气旋。

永不放弃！

　　如果说我从跟艾拿一起的冒险中学到了什么，那就是——**永不放弃！**

　　我想：或许单独一只鼠能做的很少，但是很多鼠，大家一起能做的就**很多**！

于是我跳起来喊道："我们能做到！"

我召集编辑部的同事来开一个**十万火急**的会议。

几分钟之后，所有鼠都气喘吁吁、忧心忡忡地赶到了。

我听到他们在低声议论着："谁知道老板要讲些什么？"

"肯定是发生了什么**严重**的事情！"

"可能是有人偷吃光了他藏在办公桌右边抽屉里的发酵奶酪？"

"或许是《**鼠民公报**》的销量 *下降* 了？"

"或许是莎莉·尖刻鼠又惹麻烦了？"

"或许是他又要告诉我们一个绝妙的主意？"

当大家都进入会议室之后，我 ^跳^ 上了椅子。

"朋友们，我叫你们来是因为发生了很**严重**的事情。"

接着，我不再作声，大家都目不转睛地盯着我。我一个一个地看过去。

然后我继续说："今天市长先生来请求我以及你们大家的帮助。老鼠岛北部发生了**气旋**。"

大家陷入了讨论："什么？"

"这不可能！"

"岛上从来没有发生过气旋！"

我继续说："不幸的是，这是**事实**！需要立刻做点什么！要赶在蓝色运河河水漫出堤坝，淹没海豚湾城之前！你们当中谁愿意帮忙？"

所有鼠异口同声地回答道："**我**！"

我深受感动："谢谢大家，真的，我就知

道可以依靠大家！"

我开始沉着而冷静地为大家分配任务。我知道……

情况越危急，我越要保持冷静！

看着工作中的我，菲说道："杰罗尼摩，你确定你没事吗？你好像不太一样了，有点像……

我对她笑道："放心，菲，我还是我啊！如果说我变得不一样了，那多亏了艾拿，还有他的建议……"

然后我打电话给家里和我所有的朋友，每只鼠都可以出一份力！

我不是一只超级鼠！

我决定马上出版一期**特刊**：我们会发布有关气旋的消息，号召妙鼠城的所有居民加入到应对紧急状况的队伍中，捐钱，提供食物、被褥、药品和交通工具……也可以是一些建议，或者是付出自己的一点**时间**！

当我打电话告诉市长先生我们所要做的事情时，他深受**感动**："杰罗尼摩，您总能让我大吃一惊！但是请告诉我，您遇到了什么事情？我感觉您好像改变了，就好像是一只**超级鼠！**"

我笑了，回想起艾拿教给我的那些事，然后我回答道："不，市长先生，我不是一只超级鼠，我还是我，斯蒂顿，**杰罗尼摩·斯蒂顿！** 只是最近我上了几堂关于如何面对**困难**的课程！"

然后，我打电话给亲鼠和我的朋友们，邀请他们马上到编辑部来。

我的同事们也都这样做了，不一会儿，我们就聚集起了超过五十只老鼠！

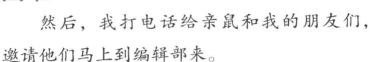

于是，我根据各只鼠的能力把他们分组并分配任务……

每组一个任务

至于交通，没有问题，交给我！

我来准备场地！

我负责治疗！

我携带被子和睡袋。

我来做千层面！

如果有什么艰巨而危险的任务，我随时准备着！

我负责供应食物和水！

我们来做通讯员并且分发食物。

如果有什么吩咐，我很乐意帮忙！

《**鼠民公报**》的特刊以破纪录的速度印刷出来了！

多亏了一群**志愿鼠**，报纸很快被分发出去。

没过多久，马克斯爷爷也来了，他看着我，说："干得好，我的孙子！我**几乎**在想把报社托付给你是对的了……你变成了一只真正的老鼠！"

几个小时之后，《**鼠民公报**》办公室外面聚集了一小**群**老鼠。

我打开窗户，看到了不同年龄的男鼠和女鼠们，在各种不同的交通工具上面：从带拖车的大卡车到拖着踏板小车的小货车……

每只鼠都带着一些东西：被子、食物、药品，展开了一场为了友谊和团结而进行的感人竞赛。

我们大家一起把所有的储备物和**材料**装上卡车，然后最勇敢的一支小队准备向已证实发生气旋的地区——老鼠岛北部进发。

　　我的爷爷马克斯·坦克鼠，被称为坦克车，他用大拇指勾住背带，喘着粗气道："安静，我来负责解决最重要的一个问题，也就是——

？？？ 谁来指挥？？？？"

　　然后他得意地笑了，捋着胡须："为了帮助你们，就由我来指挥吧！"

　　整个斯蒂顿家族的成员齐声叫道："爷爷，谢谢，但是不**麻烦你**了！"

　　他假装没听到，灵活地跳上带领营救队伍前行的客车。

值得信赖的天娜跟着他，挥舞着一根巨大的擀面杖："我来负责做千层面！"

爷爷立刻开始下达命令，从现在开始，禁止：

说脏话！

挖鼻孔！

把口香糖粘在旁边的座位上！

在旁边老鼠的耳朵边大声唱歌！

开品位低级的玩笑！

然后不顾那些喜欢现代音乐的老鼠的反对，他开足音量播放阿伊达*（这是他最喜欢的一部歌剧）里胜利进军的唱段，出发了。

那真是一次**漫长的旅途**！

---

*阿伊达：意大利作曲家朱塞佩·威尔第的歌剧。

在淤泥之中

当我们从客车上下来时，立刻就了解到情况的严重性。

满是污泥的河水水位**上升**了许多，几乎已经到达**堤坝**了！

必须立刻做点什么！

但是做什么呢？

我不知道该从哪里开始！

我向艾拿望去……

他双臂交叉，严肃地看着我：

"动脑想，做决定和组织大家！"

我考虑了一会儿，很快我明白了，我们首先要做的是加固堤坝！

于是我召集周围所有的老鼠，冷静而清楚地解释道："我们必须**加固**堤坝，我们要集中所有的力量来阻止河水泛滥。我们大家一起一定可以做到的！"

赞成的声音震耳欲聋。

"是的，我们能做到！"

我看到了艾拿赞同的目光，还有本杰明崇拜的眼神。

然后我继续说道："为了完成这个不可能完成的任务，每只老鼠的工作都很重要！"

本杰明和潘朵拉组织一队老鼠把沙子装进**袋子**里，以用来加固堤坝；其他鼠则用推土机收集木块、**木板**、树干……

当材料收集完以后，我们组成了一个**手动传送链**，用手爪互相传递着那些沉重

的袋子和巨大的 **石块**，我们要沿着河岸建
立一个屏障。

　　我们在几乎触到胡须的淤泥中工作着，
背部很痛，衣服也 **湿透** 了，唯一值得安
慰的是，已经好几个小时没有下雨了！

　　我们能做到！

　　为了给自己鼓劲，我大声地唱起了我最
喜欢的歌曲：

"我是一只安静的老鼠！" ♩♪♪

很快地，我旁边的老鼠也开始唱了起来，接着，慢慢地，所有的老鼠都齐声唱了起来……

我抬起头，看着那些**勇敢地**、**无私地**艰苦工作了数小时的老鼠们，或许我们当中，任何一个个体都不是超级鼠，但我们大家在一起就是一群非凡的老鼠！

巨大的成功！

就在那一刻，一束太阳光从云层里照射出来，在天空中形成了*一道美丽的彩虹*。

我们更加努力地工作，不一会儿，成果明显地呈现在我们面前……

我们做到了！

我们阻止了河水泛滥：海豚湾城安全啦！

还有很多工作要做，但是最糟糕的阶段已经过去了！我要用一整本书来记录这些**热心**、无私的老鼠们所做的一切：他们清除了房子里的淤泥，安抚年老鼠和年幼鼠，提供**热**饭**热**菜、**干净**的被

褥和 *温馨的话语*……

　　我要告诉你们最后一件事——

　　我决定录制我们大家一起唱过的，给了我们勇气和力量的那首歌。这是一个巨大的成功！

　　记得斯蒂顿，*杰罗尼摩·斯蒂顿*的话！

妙鼠城

1. 工业区
2. 奶酪工厂
3. 机场
4. 广播电视塔
5. 奶酪市场
6. 鱼市场
7. 市政厅
8. 古堡
9. 妙鼠岬
10. 中央火车站
11. 商业中心
12. 影院
13. 健身中心
14. 音乐厅
15. 唱歌石广场
16. 剧场
17. 大酒店
18. 医院
19. 植物园
20. 跛脚跳蚤杂货店
    （赖皮的商店）
21. 停车场
22. 现代艺术博物馆
23. 大学和图书馆
24. 《老鼠日报》大楼
25. 《鼠民公报》大楼
26. 赖皮的家
27. 时装区
28. 餐馆
29. 环境保护中心
30. 海事处
31. 圆形竞技场
32. 高尔夫球场
33. 游泳池
34. 网球场
35. 游乐场
36. 杰罗尼摩的家
37. 古玩市场
38. 书店
39. 船坞
40. 菲的家
41. 避风港
42. 灯塔
43. 自由鼠像

老鼠岛

1. 大冰湖
2. 毛结冰山
3. 滑溜溜冰川
4. 鼠皮疙瘩山
5. 鼠基斯坦
6. 鼠坦尼亚
7. 吸血鬼山
8. 铁板鼠火山
9. 硫磺湖
10. 猫止步关
11. 醉酒峰
12. 黑森林
13. 吸血鬼谷
14. 发冷山
15. 黑影关
16. 吝啬鼠城堡
17. 自然保护公园
18. 拉斯鼠维加斯海岸
19. 化石森林
20. 小鼠湖
21. 中鼠湖
22. 大鼠湖
23. 切达干酪崖
24. 肯尼猫城堡
25. 巨杉山谷
26. 梵提娜奶酪泉
27. 硫磺沼泽
28. 间歇泉
29. 田鼠谷
30. 疯鼠谷
31. 蚊子沼泽
32. 蒙斯特高地
33. 鼠哈拉沙漠
34. 喘气骆驼绿洲
35. 笨蛋山
36. 热带丛林
37. 蚊子谷

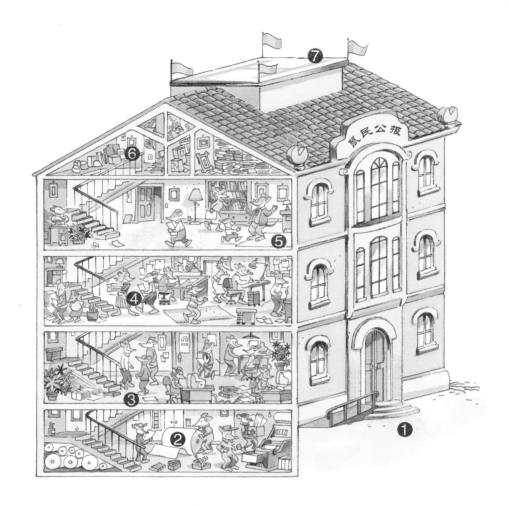

《鼠民公报》大楼

1. 正门
2. 印刷部（印刷图书和报纸的地方）
3. 财务部
4. 编辑部（编辑、美术设计和绘图人员工作的地方）
5. 杰罗尼摩·斯蒂顿的办公室
6. 杰罗尼摩·斯蒂顿的藏书室
7. 直升飞机停机坪

老鼠记者 Geronimo Stilton

新 译 本

最好的儿童文学桥梁书 （已出版书目）

1. 杰罗尼摩的欢乐假期

杰罗尼摩的旅行计划多次泡汤，最后只能和毕粉红及整队童鼠军挤在破烂鼠酒店里玩《小题大作！》特刊介绍的游戏。

2. 真要命的旅行

杰罗尼摩被骗参加了旅行团到波多猫岛旅行，由此开始一场倒霉透顶的旅程，简直就是一场噩梦！

3. 古堡鬼鼠

杰罗尼摩半夜接到赖皮打来的紧急电话，他决定和菲、本杰明前往阴森恐怖的鼠托夫古堡实施"营救计划"。他们会有什么惊人发现呢？

4. 神勇鼠智胜海盗猫

在寻找"漂移银岛"的探险之旅中，杰罗尼摩、菲、赖皮和本杰明被海盗猫们擒获。即将沦为盘中美味的他们，能死里逃生并最终战胜海盗猫吗？

5. 蒙娜丽鼠密码

《蒙娜丽鼠》名画背后竟然隐藏着另一幅画！画中更藏着妙鼠城的一个大秘密！杰罗尼摩他们能否按照画中提示把谜底揭开呢？

6. 鼠胆神威

杰罗尼摩被迫参加"鼠胆神威"求生训练课程，厉害的导师要他和其他四只老鼠在热带丛林里接受各种非鼠的挑战，君子鼠杰罗尼摩能否承受得呢？

7. 弃面双鼠

杰罗尼摩被冒充了！那只鼠大胆到把《鼠民公报》也卖掉了。本杰明想出了锦囊妙计，让赖皮男扮女装去对付幕后主谋。

8. 吝啬鼠城堡

吝啬鼠城堡的堡主守财鼠，邀请了一大堆亲戚来到城堡参加他的儿子荷包鼠的婚礼！堡主待客之道就是"节俭"！

9. 绿宝石眼之谜

杰罗尼摩的妹妹菲得到了一张标有"绿宝石眼"埋藏位置的藏宝图。杰罗尼摩、菲、赖皮和本杰明驾着"幸运女神"号出发寻宝了……

10. 黑暗鼠家族的秘密

杰罗尼摩被邀去拜访骷髅头城堡里的黑暗鼠家族，在那里遇上一连串灵异事件。最终，他竟然发现这个家族最隐蔽的秘密就是……

11. 奶酪金字塔的魔咒

奶酪金字塔内为何会发出恶心的气味？埃及文化专家飞沫鼠教授在金字塔内晕倒了，难道传说中的魔咒应验了？杰罗尼摩能否解开其中之谜呢？

12. 喜马拉雅山雪怪

杰罗尼摩接到发明家伏特教授的求救电话后，立即与菲、赖皮和本杰明一起赶往喜马拉雅山营救……

13. 地铁幽灵

妙鼠城的地铁站被幽灵猫袭击，全城万分惊恐！地铁隧道内有猫爪印、浓缩猫尿……这一切真能说明有幽灵猫存在吗？

14. 我为鼠狂

杰罗尼摩为了梦中情鼠，拜访神秘的女术士，踏上他最害怕的探险之旅，还发现了世界第八大奇迹……

15. 恐怖万圣节

万圣节前夕，杰罗尼摩被迫赶做一本关于万圣节的书。为搜集写作素材，胆小的他吃尽了苦头。万圣节晚会他过得怎样？最终这本书又销得如何呢？

16. 老鼠也疯狂

杰罗尼摩不小心聘请了毕粉红当助理后，疯狂的事情接连发生，连一向喜欢传统品位的他，竟在衣着上也大变身呢！为什么他会有如此大的改变？难道他疯了吗？

35. 奥运金牌鼠

来自老鼠拉多维亚的选手包揽了奥运会上所有单项赛事的金牌，却并不参加任何团体比赛，这背后究竟隐藏着什么惊天秘密呢？

36. "音乐海盗"大追踪

为了破解盗版谜案，杰罗尼摩和史奎克深入港口调查，谁知竟被抓上了恐怖的"黑猫十世"旅行车。他们能否顺利逃脱呢？

37. 非凡圣诞节

杰罗尼摩本想和家鼠一起去滑雪，谁知却被撞得全身骨折！难道，倒霉的他就只能独自在医院度过一个悲惨的圣诞节吗？

38. 小丑鼠的阴谋

一封古怪的来信，邀请妙鼠城全体鼠民参加神秘公园的万圣节派对，可是大家竟然被锁在了公园里。等待老鼠们的将会是什么呢？

39. 智取疯鼠谷

妙鼠城出现假冒奶酪，鼠民们纷纷出现食物中毒症状，所有的奶酪工厂面临倒闭。杰罗尼摩、史奎克和超级十鼠对此展开调查。

40. 拯救大白鲸

杰罗尼摩、柏蒂、本杰明、潘朵拉一起到鲸鱼湾度假，发现一头罕见的大白鲸搁浅在深夜的海滩上，要怎样做才能帮助它重归大海呢？

41. 葬礼疑云

因为一个葬礼，杰罗尼摩重返各蔷鼠城堡。在这个疑云重重的葬礼背后隐藏着什么大秘密呢？

42. 疯鼠大挑战

杰罗尼摩被迫去参加疯鼠大挑战，他是如何在误打误撞之下走捷径而赢得冠军，成为社会名鼠的呢？

43. 成就非凡鼠家族

受邀参加本杰明学校的"职业日"活动，自信爆棚的杰罗尼摩会是丑态百出，还是载誉而归呢？

44. 特工鼠智哄魅影鼠

杰罗尼摩被迫与马克斯爷爷组队参加高尔夫球比赛，他能和特工鼠00K联手保住超级鼠奖杯吗？

45. 怪味火山的秘密

一场暴雪使妙鼠城陷入困境。为了挽救整个老鼠岛，杰罗尼摩和私家侦探史奎克踏上探秘怪味火山之旅。

46. 超鼠诞生记

从撒哈拉沙漠到北极，从热带雨林到岩洞，不能填饱肚子，无法安稳睡觉，生命安全得不到保障。超鼠改造计划就是这么残酷！

47. 巧取空手道

杰罗尼摩走上了世界空手道锦标赛赛场。是什么力量让弱不禁风的文化鼠产生勇气的呢？空手道的魅力到底在哪，让我们一探究竟吧！

48. 六合鼠彩票

风靡妙鼠城的彩票游戏——六合鼠，这次的奖金高达十亿元！杰罗尼摩偶然拾得一张彩票，会令他赢得巨奖吗？

49. 圣诞大变身

圣诞节到了，可是杰罗尼摩却累得趴在办公桌上睡着了。圣诞老人为何会委托杰罗尼摩负责玩具工厂的事务，并把玩具送给孩子们呢？

50. 蓝色谍城

杰罗尼摩和史奎克坐上下潜艇向世界最深的马里亚纳海沟前进，追踪巨型乌贼。在一个巨大水泡里，蓝色城市的独裁者早已布下罗网！

《老鼠记者》俱乐部的联系方式

邮购电话:0791-86512056
E-mail:www.shumih60@sina.com

http://www.21cccc.com
请读者朋友密切关注《老鼠记者》新书出版时间

亲爱的鼠迷朋友，
下次再见！

杰罗尼摩·斯蒂顿

Geronimo Stilton